# The Day the Dead Man Followed Me Home

An Esperanto Dual Language Novella

## Created by Myrtis Smith

Published by Kylan Verde Books LLC

© **2023 by Myrtis Smith**

**http://www.KylanVerdeBooks.com**

**All rights reserved.**

**ISBN 979-8-9856820-5-2**

*These are works of fiction. Names, characters, businesses, events and incidents are the products of the author's imagination. Any resemblance to actual persons, living or dead, or actual events is purely coincidental.*

*Kylan Verde Books LLC*

*Cincinnati, Ohio*

**Esperanto Translation by**

# Alena Adler

https://alenafenomena.com

Proofreading and editing provided by Derek Roff and Alison Miller.

# Table of Contents

Introduction ................................................................7

Esperanto ................................................................ 11

Ĉapitro 1:  Mi Vidas Mortintojn................................13

Ĉapitro 2:  La Morto de Morio................................ 17

Ĉapitro 3:  La Serĉo por la Busŝoforo ..................... 23

Ĉapitro 4:  Kasi................................................ 29

Ĉapitro 5:  Ĉiela Vizitanto ................................. 35

Ĉapitro 6: La Demonkaverno................................41

Ĉapitro 7: La Koramikino ................................. 47

Ĉapitro 8: La Serĉo por Pardono .........................51

Ĉapitro 9: Lukas Sanders................................ 55

Ĉapitro 10: Multe Pli Poste .............................61

English................................................ 65

Chapter 1: I See Dead People ......................... 67

Chapter 2: The Death of Morio.........................71

Chapter 3: In Search of the Bus Driver.................77

Chapter4: Kasi.........................................83

Chapter 5: A Celestial Visitor......................... 89

Chapter 6: The Demon's Den................................. 95

Chapter 7: The Girlfriend............................................................101

Chapter 8: The Search for Forgiveness.................................. 105

Chapter 9: Lukas Sanders ..................................................... 109

Chapter 10: Much Later .......................................................... 115

Bonus: Excerpt from ............................................................... 119

Ĉapitro 1: La Instituto de Homa Plibonigo............................ 121

Chapter 1: The Institute of Human Enhancement .................125

About the Author .................................................................. 128

# Introduction

Reading is one of the best ways to increase your comprehension of a new language. Unfortunately, most new language learners only have two choices:

1. Read children's books
2. Read full length novels (while spending a lot of time looking up words in a dictionary or translator app.)

At Kylan Verde Books we'd like to offer you another choice: Dual Language Novellas.

Novellas – like this one – are short books, between 5,000 and 10,000 words. They feature multiple chapters, a variety of interesting characters, and a fully developed plot. Everything you love about reading a full-length book only shorter! You could easily read them multiple times, picking up new vocabulary and grammar each time.

The novellas are presented in a dual language format with the Esperanto story accompanied by the English version. Why use the dual language format?

1. Dual language books make reading more accessible. The new language is much less intimidating when you have supporting text.
2. Dual language books are proven to accelerate the learning of vocabulary, grammar, and sentence structure.
3. Dual language books allow the reader to compare and contrast text, thereby noticing different features of each language.
4. Dual language books serve as a connecting bridge, helping the learner develop a deeper understanding of the new language and how to use it effectively.

Here are some suggestions to help you get the most out of your dual language book:

1. Read the English story first, so that you have a general understanding of the story. Then read the Esperanto version.

2. Read the Esperanto version first, without consulting a dictionary. Then read the English version and see how much you understood.

3. Read the Esperanto version slowly, writing down every word you don't understand. Try to figure out the word from the context then refer to the English translation.

4. Read the Esperanto version aloud to work on your pronunciation.

5. Look through the English version and pick out common words and phrases that you don't know how to say in Esperanto. Refer to the Esperanto translation to see what they are.

Please note, this book contains an Esperanto *version* of the story and an English *version* of the story. While the two are very similar they are not meant to be word-for-word translations. The goal is for the reader to see how similar ideas would be conveyed in each language.

*Esperanto*

# La Tago Kiam La Mortinto
# Sekvis Min Hejmen

# Ĉapitro 1: Mi Vidas Mortintojn

(Chapter 1: I See Dead People, p. 67)

Mi vidas mortintojn. Ĉiutage. Ĉie, kien mi iras. Ĉe la butiko. En la parko. Dum promeno tra la strato. Iĝis tiom kutima afero, ke foje, mi malfacile distingas inter mortintoj kaj vivantaj homoj. Ekzemple, hodiaŭ, en la buso.

Jen maljunulo, kiu dormis en la malantaŭo, brakoj interfalditaj, sino kiu leviĝis kaj falis regule. En alia vico, du adoleskantoj sidis unu apud la alia, ĉiu fikrigardadis sian telefonon. Evidentis, ke ili vojaĝis kune, ĉar de tempo al tempo, unu diris ion al la alia. Jen juna virino, kiu legis libron. Jen mezaĝa viro, kun enorela kapaŭskutilo, kiu indikis ian ritmon per sia kapo. Mi tutcertas, ke ili ĉiuj vivis.

Sed ne la juna viro, kiu sidis trans unu el la pordoj. Li havis mallongan buklan hararon; eble nigran, eble brunan. Estis malfacile distingi, ĉar lia koloro estis misa. Lia haŭtkoloro estis svaga. Samkiel en tiaj fotoj, kiujn oni vidas; de homoj, kiuj estis proksimaj al incendio aŭ eksplodo. Tiuj homoj estas tiom cindrokovritaj, ke ne eblas distingi la haŭtkoloron. Li rigardadis fikse la plankon.

Mi suspektis, ke li estis nova fantomo. Li strebis teni sian formon, kaj resti sufiĉe tuŝebla, ke li povu sidadi en la seĝo, sen traflosi la malsupron de la buso. Oni informis min, ke tio postulas multan energion en la komenco. Estis fascine, spekti tion, sed mi faris la eraron observadi lin tro longe. Li levis siajn okulojn, kaj ni ekrigardis nin.

Liaj okuloj larĝiĝis. "Vi vidas min, ĉu?"

Kaptita. Estus facile, ŝajnigi ke mi ne vidis. Fermi miajn okulojn, kaj neniam rerigardi; sed tio ne estis parto de mia naturo. Mi povis deteni min de agnoski lian ĉeeston, tiom, kiom mi povis deteni mian sekvan enspiron. Mi eble povos prokrasti ĝin, sed iam, ĝi okazos. Do, mi simple kapjesis.

Kun sia fokuso turninta al mi, li subite komencis sinki en la seĝon. Li turnis la atenton denove al si; ekstaris, kaj piediris—flosis? sinmanovris? —al la malplena seĝo apud mi.

Li klinis sin al mi, brovoj levitaj. "Kiel vi povas vidi min? Mi vagis dum iom da tempo; neniu povis vidi min."

Mi tordis mian buŝon en rideton. "Temas pri donaco." Kaj per *donaco* mi celas malbenon kiu tormentas min tagnokte, kaj interrompas ĉiun parton de mia ekzisto, tiel, ke mi neniam povis vivi normalan vivon. Sed Avinjo nomis ĝin donaco, do jen la termino kiun mi uzas. Tio sentigas min pli komforta.

Li klinis sian kapon al unu flanko. "Ĉu vi scias, kio misas pri mi? Kial mi estas tiel ĉi? Mi scias ke mi mortis, sed mi atendis esti aliloke . . . vi scias . . . kiel, la ĉielo. Kial mi ne iris en la ĉielon?"

Parolemulo. Mi levis mian manon kaj kapneis por haltigi lin de paroli. Mi parolis tre mallaŭtvoĉe, apenaŭ movis miajn lipojn, "Mi ne povas paroli al vi ĉi tie. Homoj supozos min freneza. Mi eliros post du haltejoj; vi povos veni kun mi."

"Ĉu vere?" Li demandis kun larĝa rideto. "Dankon . . . atendu, kiel vi nomiĝas?"

"Akila."

"Akila. Dankon, Akila. Mi estas Morio. Plezure." Li etendis sian manon por manpremi. Kutimo de vivantoj.

# Ĉapitro 2:  La Morto de Morio

(Chapter 2:  The Death of Morio, p. 71)

Mia nomo estas Akila, kaj mi estas klarvidisto—spiritisma mediumo. Morio ne estis la unua fantomo, kiu vizitis mian apartamenton. Iom post iom, mi lernis pliigi la spiritan energion en mia hejmo. Tio faciligas al ili, reteni tuŝeblan formon. Tuj, kiam Morio trapasis la pordon, lia korpo iĝis malpli travidebla, kaj lia koloro heliĝis. Li aspektis preskaŭ kiel vera homo.

Estis amuze, spekti lin studi siajn manojn kaj korpon, dum li ĉirkaŭpromenis, tuŝante objektojn. "Kiel vi faris tion?" Li demandis en mallaŭta, senkreda voĉo.

"Ne temas pri mi, temas pri la kristaloj." Mi indikis la blankajn, rozkolorajn, bluajn, kaj verdajn rokojn, dismetitajn tra la ĉambro. Iuj pendis de ĉenoj; aliaj sidis en bovloj. Kelkaj, sur la fenestrobreto, reflektis la sunlumon.

"Tiuj kreas multan energion en la spaco, ke vi povu tuŝi aferojn. Kaj eksidi, senpripense." Mi indikis la sofon, dum mi sidiĝis en la remburitan seĝon.

Li sin pozis zorgeme sur la rando de la sofo, senmove, atendante. Tiam, li sin puŝis malantaŭen en la sofon kaj malstreĉiĝis. "Aaaah . . ."

Mi estis preta ricevi respondojn. "Ekde kiam vi estas morta?"

Li pensis momente. "Kio estas la dato?"

"La dek-kvina de majo."

"Jam la dek-kvina de majo? Kiel povus esti, ke tiom da tempo pasis?"

"Kio estas la lasta afero, kion vi memoris?"

"Novjariĝo. Festumante kun mia koramikino, kaj ŝiaj geamikoj." Lia voĉo kvietiĝis, "Mi vagis per tiu buso dum preskaŭ kvin monatoj?"

"Tempo iom perdas sian signifon, kiam oni estas mortinto," mi klarigis. "Kiel vi mortis?"

"Min trafis buso." Li paŭzis; sekve aldonis, "Tio ne mortigis min tuj. Mi mortis kelkajn tagojn poste, en la hospitalo."

"Ĉu vi iris al juĝado?"

Li sulkigis la brovojn. "Mi ne scias, kion tio signifas."

"Laŭ mia kompreno, estas momento, baldaŭ post via morto, en kiu, vi vidas vian tutan vivon laŭ ekstera perspektivo. Por iuj, estas kiel flamo en la sino, por aliaj, ĝustigo de la pesiloj. Varias." Mi rapide aldonis, "Tion oni diris al mi. Mi neniam estis mortinta sufiĉe longe por sperti juĝadon mem."

Li kapneis. "Mi memoras nenion tian. Estis malhele. Jen voĉoj. Pulsoj de lumo. Mi flosis. Kaj tiam, mi estis en la buso . . . iele-tiele . . . mi strebis regi tiun ĉi korpon, por resti en la buso." Li elparolis la vorton "korpon" kun malestimo.

Jen konata rakonto. Mi klarigis al li lian situacion. "Vi mortis. Vi ne iris al jugado, ĉar io tiris vin reen. *Iu* tiris vin reen."

Li levis unu brovon. "Iu retiris min? Kiu?

"Iu, kiu estis tre tuŝita de via morto. Iu, kiu mornas tiom profunde, tiom intense, ke tiu ne povas antaŭenigi sian vivon."

Li kapneis. "Mi ne povas imagi, kiu mornus min."

"Gepatroj?"

"Mortintaj."

"Amanto? Spozo?"

"Koramikino. Mi certas, ke ŝi ne mornis min longe."

"Geamikoj?"

"Mi ne havis multajn." Li ŝajnis trankvila, pensema. Li prenis la kristalon, kiu kuŝis sur la flanka tablo, kaj komencis turnadi ĝin en sia mano.

Klare estis pli, kion li volis diri. Mi plu silentis. Atendis.

Li komencis denove, malrapide dekomence, kaj baldaŭ la vortoj ruliĝis rapide, "Neniu mornas min, ĉar mi estis fekulo. Estas neniu kiu bedaŭras mian morton. Buso trafis min, ĉar mi estis drogita, preter ĉiuj limoj, kaj mi elpaŝis antaŭ ĝi. Mia korpo ne sufiĉe fortis fizike, por travivi la traŭmon; ĉar temis pri la kvara tago de droĝaĉa diboĉo. La buso ne mortigis min. Mi mortigis min."

Kaj tiel, mi ekkomprenis kiu haltigis lin de pluriri. La busŝoforo.

# Ĉapitro 3: La Serĉo por la Busŝoforo

(Chapter 3: In Search of the Bus Driver, p. 77)

"Mi ne pensas, ke la busŝoforo mornas min."

Mi prenis mian tekkomputilon, kaj serĉis la detalojn de la busakcidento kiu mortigis Morion. Li staris malantaŭ mi, kaj rigardis la ekranon. Li ne konvinkiĝis pri mia supozo, rilate al la busŝoforo.

"Temis pri akcidento," li diris. "Ŝi ne povis scii, ke mi elpaŝos de la trotuaro."

"Eble ne," mi respondis, "sed imagu, kiel ŝi devis senti sin. Ŝi trafis iun, kaj tiu mortis. Estus nur home, transpreni iom da kulposento. Estus nature, kulpigi sin, kaj supozi, ke eblus fari ion alian."

Post pliaj dudek minutoj da interreta trakribrado, ni havis la lastan konatan adreson de Kasandra Belmo, iama ŝoforo de la urba bussistemo. Mi nuligis miajn planojn por la tago. Se Morio povus doni al tiu ĉi virino iom da paco, li elirus el la fizika regno, survoje al juĝado (kaj la postvivo), ene de horo. Eble mia plej rapida interveno iam ajn.

Feliĉe, Kasandra loĝis tiel proksime, ke ni povis piediri tien. Temis pri longa promeno, sed tamen, pli rapida ol atendi la sekvan buson. Krome, estis pli facile por Morio peli sin antaŭen, ol provi reteni sin ĉe busseĝo. Mi metis unu enorelan kapaŭskultilon, por aspekti kvazaŭ mi telefonis. Mi ne ŝatas, kiam homoj fiksrigardas min.

Dum ni ekpromenis, mi devis agordi liajn atendojn. "Pensu pri tio, kion vi volos diri. Vi havos nur unu ŝancon."

"Kiel ŝi povos vidi aŭ aŭdi min?"

"Vi uzos mian korpon."

Li fiksrigardis min, kun esprimo de miksita dubo kaj abomeno.

"Fidu min. Vi komprenos. Sed vi ne havos tempon por vagi. Do, via mesaĝo estu mallonga kaj specifa."

Ni trovis la domon kaj frapis la pordon. Virino alvenis responde. Ŝi estis malalta, fortika, kaj multe ŝminkita; kun senbukla blonda hararo. Ŝi aspektis kiel la fotoj de la interretoj.

"Ĉu mi povas helpi vin?" Ŝia voĉo estis raŭka. Evidente, delonga fumanto.

"Saluton. Ni serĉas Kasandran Belmon." Mi ekmontris mian plej afablan rideton.

"Ŝi ne plu loĝas ĉi tie."

"Ĉu vi scias, kie mi povas trovi ŝin?"

"Kiu vi estas?"

Mi hezitis. Mi tiom okupiĝis, pretigante Morion, ke mi ne preparis mian propan rakonton. "Mi estas raportisto, kaj mi—"

"Ni ne parolas al raportistoj." La virino komencis fermi la pordon.

"Mi havas iom da nova informo pri la akcidento." Mi elbuŝigis subite. "Ŝi ne kulpis."

La virino malfermis la pordon, kaj elpaŝis sur la verandon kun ni. "*Ke ŝi ne kulpis,* tio ne estas nova informo. Ni ĉiam sciis tion. Kian novan informon vi povus havi?"

"Mi preferus kundividi tion kun ŝi persone."

La virino elbuŝigis ĝenitan ĝemspiron, kaj diris, "Vi probable povos trovi ŝin ĉe la restoracio kelkajn stratblokojn de ĉi tie. La Flava Kulero. Ŝi komencis labori tie antaŭ kelkaj semajnoj."

"Dankon." Ni turnis nin por foriri.

Dum ni forpaŝis, ŝi vokis, "Tiu akcidento detruis la vivon de mia fratino. Eble ŝi ne kulpis. Sed post kiam tiu aĉa drogemulo elpaŝis antaŭ ŝian buson, oni metis ŝin sub mikroskopo, kaj iel trovis pretekston maldungi ŝin. Tiu trafika kamerao savis ŝin de enkarceriĝo, sed ŝi restis ŝanĝita. Do, krom se via nova informo inkludas tempo-vojaĝmaŝinon kiu revenigos al ni la malnovan Kasin . . . vi perdas vian tempon."

# Ĉapitro 4: Kasi

(Chapter 4: Kasi, p. 83)

"Kion vi celis, kiam vi diris, 'Mi neniam estis mortinta sufiĉe longe por sperti juĝadon.' "

Mi supozis, ke Morio silentis, ĉar li konsideris, kion li diru. Evidente, li fiksiĝis je nia pli frua konversacio. Mi ne priparolas tion ĉi kun iu ajn. Avinjo estis la sola, kiu komprenis. Ŝi ricevis sian finan juĝadon antaŭ iuj jaroj. Plu estas neniu nun, kiu povus kompreni.

"Mi mortis. Kelkfoje," mi respondis, senemocie. "Mi ĉesis kalkuli post ses. Mi ĉiam revenas."

Li sulkigis sian brovon. "Kiel tio eblas?"

Mi levis la ŝultrojn. "Mi ne scias. Parto de la donaco, mi supozas. Mi daŭre revenadas, kaj ĉiufoje, miaj klarvidaj kapabloj plifortiĝas. Mi povas vidi kaj regi pli kaj pli de la spirita mondo."

Ni atingis la restoracion, antaŭ ol li povis pridemandi min plu.

La restoracio estis malgranda. Proksimume dek tabloj dismetitaj en nenia specifa aranĝo. Jen kelkaj taburetoj ĉe la alta vendotabulo. Momente, ne estis klientoj. Unu kelnerino viŝis la vendotabulon, kaj alia balais la plankon.

Mi alproksimiĝis al la vendotabulo. "Saluton, mi serĉas Kasandran Belmon."

Ŝi kapindikis la kelnerinon, kiu balais.

Tiu aspektis kiel la virino en la domo, sed iomete pli alta, iomete pli maldika. Ŝia nomŝildo tekstis Kasi. Ŝi ĉesis balai, kaj fiksrigardis min.

"Kasandra?"

"Kasi."

"Kasi. Mia nomo estas Akila, kaj mi volis paroli kun vi, pri la akcidento."

Ŝi okulumis min de kapo ĝis la piedoj, kaj skuis la kapon. "Mi ne parolas kun raportistoj."

"Mi ne estas raportisto."

"Do, kiu vi estas?"

Mi trovas, ke en iuj situacioj, honesto estas la plej bona aliro. Ŝi aŭ kredos min, aŭ ne. Mi ne perdu mian tempon, provi konvinki homojn pri kiu mi estas, aŭ kion mi kapablas. Se oni ne akceptas la aferon, la procezo ĉiuokaze ne funkcios. "Mi estas spiritista mediumo. Mi helpas mortintojn fari kontakton kun vivantoj."

Ŝi fiksrigardis min senmove.

Mi rerigardis ŝin, por doni al ŝi tempon por ekkompreni, esperante ke ŝi povos vidi la sincerecon kiun mi provis montri.

Ŝia voĉo apenaŭ pli laŭtis ol flustro, "Ĉu li volas paroli kun mi?"

Mi kapjesis.

Ŝi vokis al la virino ĉe la vendotabulo, "Mi eliros por paŭzo. Mi revenos post dek minutoj." Ŝi elpaŝis el la pordo; mi sekvis ŝin.

La parkejo malantaŭ la restoracio vakis.

Ŝi okulumis min skeptike. "Ĉu vi vere kapablas komuniki kun mortintoj?"

"Jes. Estas donaco, iaspeca."

Ŝi staris senmove. Pensante. Hezite. Estis malrapida bruliĝo en ŝiaj okuloj, indiko de ena batalo.

Fine, ŝi demandis, "Do, kion li volas diri?"

"Mi lasu lin paroli."

Pendante de ĉeno ĉirkaŭ mia kolo, mi surhavis ŝtonon, kiu estis kuniĝo de lunŝtono kaj onikso. La du mineraloj servis kiel kondukilo por spiritoj. Antaŭe, mi simple permesis spiritojn eniri mian korpon, sed la procezo estis longa, dolora, kaj tre intima. Niaj mensoj kuniĝis, kaj mi sentis ĉiom da ilia angoro kaj kulpo. La memoroj restadis dum tagoj. Avinjo konis virinon, kiu povis helpi min. Mi ne demandis ŝin, pri kiu ŝi estis; mi simple akceptis ŝian donacon de la kolĉeno, kaj sentis senŝarĝigon, ekhavi pli facilan vojon.

Mi turnis min al Morio, kaj indikis la ŝtonon. "Tenu la ŝtonon. Atentu nur al ties energio. Lasu ĝin konsumi vin."

Kiam Morio ektuŝis la ŝtonon, lia formo komencis malaperadi. Varmo komencis en mia sino kaj elradiis tra mia korpo. Mi povis senti la forpuŝon de mia konscio. Ni estis kunligitaj, sed ne plu temis pri mia korpo por regi.

Kasi fiksrigardis per larĝaj okuloj, dum la ŝtono eklumis, kaj bukloj de vaporo ĉirkaŭiris la korpon, kiun Morio kaj mi nun kundividis.

"Kasi," ni komencis, "Mi bedaŭras pri ĉio, kion vi traspertis. Mi ne atendas, ke vi pardonos min, sed mi ja volas, ke vi sciu, sen dubo, ke ne estis via kulpo; estis nenio, kion vi povintus fari. Mi estis detruema, kaj mi tiom bedaŭregas, ke vi spertis la postefikojn de miaj faroj. Neniu meritas tion, kio okazis al vi."

[33]

Kasi komencis ploregi. Ni staris rigardante ŝin, necertaj, kion ni faru. *Brakumu ŝin*, mi instigis. Ni etendis la brakojn, ni ĉirkaŭbrakis ŝin. Ŝi peze plorĝemis sur  nia ŝultro.

"Mi spektis tiun trafik-videon cent foje. Kaj tamen, mi kuŝas sendorme nokte, kaj demandas min, kiel mi povus ne vidi lin?" Ŝi retiris sin, diris dankon, kaj reiris en la restoracion.

Ni komencis fandiĝi. La ŝtono iĝis pli kaj pli varma. La vaporoj densiĝis, ĝis denove Morio estis antaŭ mi, en la sama travidebla formo de ekde la buso.

Io misis. Li devintus malaperi.

# Ĉapitro 5: Ĉiela Vizitanto

(Chapter 5: A Celestial Visitor, p. 89)

La sekvan matenon, mi kuŝis en la lito, konfuzite. Nenio, pri la antaŭa tago, sencohavis. Mi memoris la unuiĝon. La pardonpeton. La akcepton. Ni estis unu, kaj poste, ne plu. Ni atingis nian celon. Li devus malaperi. Li tamen restis.

Ne estis la busŝoforo, kiu tenis lin.

Morio koleris. Li starigis tiom da demandoj, kaj mi ne havis respondojn. Mi scias, kiel aferoj *devus* funkcii. Mi scias, kiel aferoj *antaŭe* funkciis. Jen io nova.

Kiam ni iris el la restoracio; li ekflosis for, laŭ malsama direkto. Mi povus sekvi lin, aŭ devigi lin reveni; sed estus sensence. Mi ne scius, kion alian fari.

Mi leviĝis por komenci mian tagon. Helpi Morion malhelpis min, pri mia efektiva taglaboro, kiel socimedia administranto por kelkaj malgrandaj entreprenoj. Mi eksidis en la kuirejo, ĉe la prepartabulo, kiu ofte servis kiel oficejo por mi, kaj skribis dum la plejparto de la mateno.

Mi ne estas tia, kiu haltas por deca manĝo. Mi kunmetis simplan manĝeton, kaj plulaboris. Kiam mi ekstaris por forpreni la manĝilaron de la tabulo, mi faligis glason. Ĝi ekfalis, sed haltis, pendante meze de la aero.

Ekestis leĝera venteto, kaj mi povis vidi mian hararon bloviĝi malrapide, kiel en filmo. Mi sentis ĉiun mikrosekundon de mia enspiro, kaj povis aŭdi miajn okulharojn sin frapi, dum mi palpebrumis.

La mondo ĉesis turniĝi. Tempo frostiĝis. Mi havis vizitanton. Azrael.

Jen leĝera tuŝo sur mia ŝultro, kaj mi entiriĝis en lian esencon. Mia korpo liberiĝis de sia stazo, kaj mi turniĝis, por ekrigardi la plej belan kreaĵon, kaj plej fidatan heroldon de la Desegnanto.

La anĝelo altis je du metroj. Lia haŭto estis la koloro de mielo; lia hararo estis nokte nigra, kaj trančita mallonge. Li havis malhelegajn okulojn, kun longaj okulharoj kaj perfektaj dentoj, kiujn li ne tendencis montri per rideto. Lia haŭto estis senmakula, liaj vangostoj elstaraj, liaj brakoj perfekte skulptitaj. Ĉio majstre ĉizita, kvazaŭ el ŝtono.

Li surhavis longan blankan senmanikan tunikon, kun blanka pantalono. Evidentis per ekrigardo; jen la modelo, kiun la Desegnanto intencis por la homaro. Perfekto, sen makulo de peko.

La unuan fojon, kiam mi ekkonis la anĝelon Azrael, mi estis senvorta, kaj komplete mirigita. Mi akceptis ĉion, kion li diris al mi, sen duboj. Li sorĉis min; lia komprenigo estis certega. Mi estis kredanto.

Tio estis antaŭ dek jaroj. Hodiaŭ, liaj interrompoj ne plu estas bonvenaj. Azrael ĉiam venas portante mesaĝon, kaj malofte temas pri bona novaĵo.

Imagu, oni havas libertagon, sed la ĉefo vokas por peti, ke vi tamen venu en la oficejon. Estas ĝene, kaj frustre, sed oni ne povas diri "ne."

"Kion vi volas?"

"Vi devas helpi lin." Lia voĉo resonadis en mia kerno. Mi iam imagis, ke tiel bebo sentas sin, kiam patrina voĉo donas komforton. Milda. Trankvila. Serena.

Mi jam iĝis imuna al ties efikoj.

"Mi provis helpi lin. Ne funkciis."

"La busŝoforo ne estas tiu, kiu tenas lin ĉi tie."

"Do, pri kiu temas?" mi demandis.

"Mi ne havas tiun respondon. Vi devas serĉi pli."

"Kial?"

"Lia pek-kompenso gravas."

"Se li tiom gravas, pritraktu ĝin mem."

"Vi scias, ke mi ne povas interveni."

"Kaj tamen, jen vi."

Azrael iom mallarĝigis siajn okulojn, kaj klinis la kapon. Kelkajn homajn afektaĵojn li alprenis, dum la jarcentoj. "Mi ne povas *rekte* interveni."

"Interveni pri kio?"

"Morio fariĝas parto de pli granda plano. *Vi* fariĝas parto de pli granda plano."

"Ho, jes. Unu el la misteraj planoj de la Desegnanto. Eble, mi laciĝas de esti peono de la Desegnanto. Eble, mi deziras sperti normalan vivon, kaj ĉesi ludi la socian sekretarion al la mortintaro."

"Mi bedaŭras, Akila, sed nenio normalas pri vi."

Dum mallonga momento, mi sentis min komprenata. Konata. Kvazaŭ, li sciis kiom malfacilas, esti mi. Por tiel diri, la tuto de lia ekzisto estas liveri mesaĝojn por la  Desegnanto. Lia rolo en la vivo estas spektadi la longan trajnkarambolon, pri kiu temas la homaro.

Antaŭ longe—kiam mi fermis miajn okuloj por ŝajnigi, ke la fantomoj ne estis—estis Azrael, kiu helpis min kompreni ĉion. Li klarigis al mi, la tristan sorton de fantomoj. Malkvietaj spiritoj, kiuj ne povas eniri la spiritan sferon, pro la supermezura morno de aliulo. Li helpis min kompreni, ke mi faras gravan laboron por la Desegnanto.

Samkiel multaj laborantoj, mi jam laciĝis de la posteno.

"Trovu lin," ordonis Azrael. Li fleksis siajn ŝultrojn, kaj grandaj blankaj flugiloj aperis. Li paŝis for de mi, kaj denove, mi estis en la tempofluo, kun la cetero de la mondo. Guto da akvo flosis, inter la krano kaj la pelvo. Mi palpebrumis, longa momento de malhelo, kaj ĝis mi malfermis la okulojn denove, li estis for. La glaso staras sur la prepartabulo.

# Ĉapitro 6: La Demonkaverno

(Chapter6: The Demon's Den, p. 95)

La ŝildo ekster la klubo tekstis "La Demonkaverno." Moda noktoklubo, ekster kiu, ĉiaj beluloj viciĝis dum horoj por eniri. La muziko aŭdeblis de stratbloko for. Mi neniam enestis. Mi nek mojosas, nek belas sufiĉe, por pasi la pordogardiston.

Malantaŭ la pompa prestiĝo de la homa noktoklubo, kaŝiĝis sanktejo por veraj demonoj. Kvankam fantomoj estas la spiritoj de mortintaj homoj, demonoj estas malaltrangaj falintaj anĝeloj. Ili havas iom da povo, kaj aktive membras en la "kosma batalo por bono kaj malbono" (la vortoj de Azrael, ne de mi). Laŭ mia supozo, la sola celo de demonoj, estas mizerigi la homaron. Ne estas pli bona mizerigilo, ol fantomo, kiu ne povas eskapi. Pro tio, perditaj fantomoj ofte iĝas ilojn de demonoj.

Mi ne perdis tempon en provoj eniri per la ĉefpordo. Tio, kion mi serĉis, ne troviĝas ĉe la drinkejo aŭ dancejo. Mi randiris al la malantaŭo de la klubejo. Preter la rubujoj videblis unuopa pordo kun nenia ŝildo, kaj nenia manilo. Mi frapis plurfoje.

La pordo malfermiĝis, kaj grandega viro staris en ĝia kadro. Mi nur skize uzas la vorton "viro". Al ordinara homo, li aspektis kiel unu el tiuj metalrokaj tipoj; vestite tutnigre, multe ŝminkite, kun multaj korpaj traboroj. Mi vidis la alivestiĝon por tio, kio ĝi estis, maniero kaŝi la malhelan energion, kaj torditan aspekton.

Tuj, kiam li ekvidis min, tremeto de timo trairis lian esencon. Li rapide kolektis sin, kuraĝaĉa, kiel demonoj kutime ŝajnigas sin. "Ĉu vi estas perdita?"

"Mi serĉas iun. Fantomon, kiu nomiĝas Morio."

"Neniu tia ĉeestas."

"Mi scias, ke li estas ĉi tie; mi povas senti lin."

[42]

"Mi ne kredas, ke li volas elveni, kaj vi"—li alklinis sin, proksimiĝante al mia vizaĝo— "ne bonvenas ĉi tie."

Ekzistas tri regnoj: La Regno de la Desegnanto, La Subregno, kaj la Fizika Ebeno. Ĉiu kreaĵo—spirita, homa, besta, kosma, ktp.—apartenas al unu el tiuj regnoj. Esti en la regno, al kiu oni apartenas, reprezentas ordon. Esti en regno al kiu oni ne apartenas, reprezentas ĥaoson.

Ĉio tendencas al ordo, vole-nevole. Kiel kondukilo inter la regnoj, mi havas la kapablon—la povon—restarigi ordon. Mi ĝenerale ne pripensas mian kapablon kiel superpotecon, sed foje, tiu pensmaniero utilas.

Demonoj estas spiritaj estaĵoj, detruemaj en regno al kiu ili ne apartenas. Azrael instruis al mi, kiel uzi mian potencon.

Mi antaŭenpaŝis, kaj firme diris, "Alportu lin al mi."

La naztruoj de la Demono tremis kaj lia sino komencis leviĝi kaj fali rapide. Li grimacis pro doloro; lia naturo okazigi ĥaoson, batalis kontraŭ mia postulo por ordo. Lia tuta korpo estis rigida, kaj la pugnoj fermitaj.

Mi ne moviĝis.

Fine, li elspiris aspre, kaj vokis super sian ŝultron, "Diru al la novulo, ke li havas gaston."

Mi kapjesis, kaj forpaŝis de la pordo, por atendi.

Morio elvenis kelketajn minutojn poste, rigardante min kun surprizo. "Kiel vi trovis min?"

"Jen parto de mia speciala lerto." Mi kapindikis la klubon. "Mi vidas, ke vi faris novajn amikojn. Mi opinias, ke vi povus fari pli bone."

Li levis la ŝultrojn. "Se mi devos resti ĉi tie eterne, mi supozas, ke mi ekkonu iujn . . . personojn."

Li fiksrigardis botelon sur la tero, tiam etendis sian piedon por bati ĝin. Ĝi moviĝis. Iomete. "Mi devas lerni pli bone uzi tiun ĉi korpon."

Li rigardis min sub sulkitaj brovoj. "Kial vi estas ĉi tie?"

"Mi havis vizitanton, anĝelon. Li ne kredas, ke Kasi estas tiu, kiu fiksas vin ĉi tie."

Liaj okuloj larĝiĝis. "Anĝelo venis vidi vin, pri mi? Ĉu tio signifas . . ."

Mi levis manon por haltigi lin. "Ne tro esperu, kara. Anĝeloj povas esti tute neklaraj."

"Sed anĝeloj estas mesaĝistoj, ĉu ne? Rekte de Di—"

Mi kapneis. "Denove, ne tro esperu. La Desegnanto

estas egale neklara. Povus signifi ĉion ajn."

"Sed, vi estas ĉi tie. Do, tio li signifas ion."

"Signifas, ke nia laboro ne finiĝis. Ni eku."

# Ĉapitro 7: La Koramikino

(Chapter 7: The Girlfriend, p. 101)

Du tagojn poste, ni sidis en unu el la kortoj de la Komunuma Kolegio de Midland. Mi fine konvinkis Morion, ke ni trovu lian koramikinon, Zara. Mi kredis lin, kiam li diris, ke ilia rilato ne estis tiom serioza, sed ni ne pripensis iun alian.

"Jen ŝi." Li indikis karamel-haŭtan virinon kun longaj harplektaĵoj, kiu eliris el konstruaĵo. "Ŝi aspektas feliĉa," li diris mallaŭte al si.

Ŝi promenis kun viro. Ili haltis, sin kisis mallonge, kaj ekiris siajn apartajn vojojn. Ŝi klare ne priploris Morion.

"Zara Lewis?" Mi haltigis ŝin, dum ŝi preterpasis min.

Ŝi ekzamenis min de kapo ĝis piedoj. "Kiu demandas?"

"Mia nomo estas Akila. Mi estas esploristo kiu studas pri funebro." Ĉi-foje mi havis rakonton preparitan. Ne indis, rakonti al ŝi la veron. Ne *ŝi* tenis lin ĉi tie.

Ŝia korpo iom malstreĉiĝis. "Nu . . . Bone . . . Kion vi deziras de mi?"

"Vi lastatempe perdis vian koramikon . . . ĉu Morio?" mi komencis malrapide.

"Jam de kelkaj monatoj, sed jes, li mortis pro busakcidento."

Mi rigardis laŭ la direkto, kien iris la viro, kiun ŝi ĵus ĝisis. "Vi ne ŝajnas aparte afliktita."

"Mi tristis en la komenco, kompreneble, sed ni ne estis tiom forte korligitaj." Ŝi mordis sian lipon, studis siajn ŝuojn, kaj la fendojn en la trotuaro. "Se mi honestas, li estis ĥaosa. Kaj li ĥaosigis min."

"Kion vi volas diri per tio?"

"Ni ĉiam provis ebriiĝi. Drogaĉoj. Alkoholaĵo. Seksumado. Vetkurado laŭ la stratoj." Ŝi skuis sian kapon, pro la memoroj. "Esti kun li, kondukis nenien, kaj rapide."

Mi flankrigardis Morion. Lia kapo falis sur sia brusto.

"Ve..." Tio devus esti mia ena voĉo.

"Mi scias, ke sonas kruele," ŝi grimacis, "sed lia morto estis vekigo por mi. Mi sobriĝis. Pasigis du monatojn en resaniĝ-programo. Kaj nun mi studas por ricevi diplomon."

"Mi diris al vi, ke mi estis fekulo," Morio flustris en mian orelon. "Neniu funebras min." Li forpaŝis, la ŝultroj falintaj.

Mi ridetis kaj kapjesis al Zara, vere feliĉa por ŝi. "Morto de proksimulo neniam facilas, sed ŝajne vi bonfartas. Tio estas sukceso, iaspeca, mi supozas."

"Mi bedaŭras, ke mi ne povas pli helpi, pri via esploro." Ŝi turnis sin por foriri, sed tiam haltis. "Se vi serĉas iun profunde afliktitan de morto, eble provu mian kuzon."

Ŝi trafosis sian sakon por notlibro, kaj komencis skribi. "Li estis ruinigita de la akcidento de Morio." Ŝi enmanigis al mi pecon da papero kun la nomo Lukas Sanders. "Vi probable trovos lin apud la granda feraĵbutiko, okcidentflanke de la urbo. Li umas tie, serĉante laboron, de tempo al tempo." Dum ŝi forpaŝis, mi turnis min por pridemandi Morion pri Lukas, sed li estis for.

# Ĉapitro 8: La Serĉo por Pardono

(Chapter 8: The Search for Forgiveness, p. 105)

Morio restis for dum kelkaj tagoj.

Mi povus elserĉi lin, kaj devigi, ke li revenu. Mi avidis finelpaki ĉion ĉi, kaj forsendi lin al sia eterna vojaĝo. Sed li bezonis iom da tempo, por cerbumi pri la konfeso de Zara. Jen unu afero, supozi, ke vi toksas; jen alia, aŭdi iun priskribi, kiel la vivo pli bonas, nun ke vi mortis.

Krome, ĉiun tagon, kiun mi trapasis prizorgante lin, estis ankoraŭ tago, en kiu mi plu postrestis pri mia laboro. Tiuj socimediaj ĝistdatigoj ne alkroĉas sin mem. Fantomoj havas nenian komprenon pri kiel tempo pasas, kaj mi kredis, ke li aperos tiam, kiam li pretas daŭrigi.

Do, min ne surprizis, reveninte hejmen unu posttagmezon, trovi lin sidante en la ĉambro, ludante per miaj kristaloj.

"Jen vi." Mi metis la sakon, kiun mi enportis, sur la tabulon, kaj komencis malpaki mian provianton.

"Jen mi."

"Kie vi estis?"

"En la tombejo." La kristalo, kiun li tenis, trapasis lian manon kaj falis al la planko.

Mi prenis ĝin kaj metis la kristalon en bovlon aliflanke de la ĉambro. "Gravas, kie ili sidas. Ĉiu kristalo resonas je specifa frekvenco. La aranĝo estas intenca."

"Ho, pardonon. Mi ne konsciis." Li sidis sur tabureto ĉe la tabulo kaj rigardis, dum mi formetis la ceteron de la manĝajoj. "Ĉu vi sciis, ke estas amaso da spiritoj en la tombejo?"

"Jes, ja; tial mi evitas ĝin. Estas tre superŝute, por mi."

"Kion ili faras tie?"

"Evitas finan juĝadon. Por ne pluiri al la postvivo."

"Mi ne komprenas. Kial? Vagadi sencele devas agaci."

Mi haltis kaj turnis min al li. "Foje, la persono, kiu bezonas pardonon, estas vi mem. Kaj iuj homoj ne povas fari tion. Ili preferas pasigi eternon vagante en kampo de putrantaj ostoj. Ili ne povas alfronti la veron, pri kiuj, ili estis, aŭ kion ili faris."

"Ĉu vi supozas, ke tio okazos al mi?" li demandis.

Mi ŝultrolevis. "Estas al vi, decidi tion. Ĉu vi povos pardoni vin?"

"Pardoni min?" li elsputis moke. "Por ruinigi al Kasi la vivon? Por treni Zaran en la koton apud mi? Kiel vi proponas, ke mi faru tion?"

Mi pripensis dum momento. Mi ne havis respondon. Jen lia puzlo por solvi. Mi havis nenion; krom espero, ke li trovu alian eliron. "Ĉu vi konas tiun ulon, Lukas Sanders?"

Li alrigardis min, konfuzite. "Jes, la kuzo de Zara."

"Mi scias tion, sed, ĉu vi du estis amikoj?"

"Ni interrilatis sufiĉe bone, sed ni ne estis amikoj." Li ekkomprenis la celon de miaj demandoj. "Kaj ne, Lukas ne mornas min."

"Zara diris, ke li estis 'forte trafita' de via morto." Mi citilumis per la fingroj por emfazi.

"Ĉu vere? Mi ne povas imagi kial. Mi apenaŭ konis la ulon. La sola afero, pri kiu li okupiĝis, estis..." Morio ekgapis. Li saltis de la tabureto, kaj komencis paŝi tien-reen, en la ĉambro. "Temas pri li. Devas esti li."

# Ĉapitro 9: Lukas Sanders

(Chapter 9: Lukas Sanders, p. 109)

La feraĵbutiko de Bradford troviĝas fine de la komerca kvartalo en la okcidenta parto de la urbo. Elirinte la parkejon de la feraĵejo, jen mallarĝa strato kiu transiras malsupre de la ŝoseoĵ. Tie ĉiam sin trovas homoj umantaj sub la transirejo. Ĉefe, ili esperas trovi laboron. Tiuj, kiuj bezonas pliajn laborantojn por verŝi cementon, aŭ instali tegmenton, venas ĉi tien por kolekti helpantojn. Ĉiutage, jen malsama grupo de homoj, kiuj serĉas laboron. Ĉiutage, jen malsama grupo de homoj, kiuj serĉas laborantojn. Ĉiuj pagas kontante.

Temis pri tro longa irado por la buso, do mi veturis aŭte. Mi preterpasis la feraĵejon, kaj turniĝis en la direkton de la ŝoseo. Dum mi malrapidiĝis ĉe la angulo, Mario ekvidis sian konatulon. Li apogis sin kontraŭ telefona fosto, la manoj firme enŝovintaj en la poŝojn.

Mi antaŭenigis la aŭton al apud la magra viro en pantalono kiu komencis noteble sub la talio kaj jako kun kapuĉo.

Li havis amason da malorda, bukla, rufe bruna haro; kaj cigaredon, kiu pendis de la buŝo.

Mi subigis la fenestron, kaj vokis al li, "Lukas!"

Li klinis sin por enrigardi la aŭton suspekteme.

"Mi estas amiko de Zara. Ĉu babili eblus?"

Li ŝultrolevis. Mi malŝaltis la aŭton kaj eliris. Vidinte lin alproksimiĝi, mia koro doloris. Li aspektis kiel iu, kiun la vivo komplete subigis. Li estis malgrasa, kun malhelaj duon-cirkloj sub la okuloj. Li alfrontis nin per sulkita mieno.

"Amiko de Zara? Mi ne parolis kun ŝi dum monatoj. Kion vi volas?"

Mi decidis antaŭeniri laŭeble simple. "Efektive, mi estas amiko de Morio." Mi ne supozis ke eblus, sed lia vizaĝo ekaspektis eĉ pli malgaje.

Li kunpremis siajn dentojn. "Se vi estas amiko de Morio, vi scias ke li mortis."

Mi trovas, ke en tiaj situacioj, honesto plej utilas. Aŭ oni kredos min, aŭ ne. "Nur fizike." Mi paŭzis, por taksi lian reagon. Lukas fariĝis statuo. "Lia spirito estas kun ni nun, kaj li volas paroli kun vi."

Li komencis retroenpaŝi. "Vidu, sinjorino, mi ne scias kiu vi estas, sed tia fekaĵo ne amuzas."

Eble li estis la ulo.

Mi vokis al li, "Mi scias, ke vi vendis al li la drogaĉojn. Kaj mi scias, ke vi kulpigas vin, pro lia morto. Li volas ke vi sciu, ke ne estis via kulpo."

Li haltis. Staris, skuante la kapon. Kiam li turniĝis por rigardi min, estis malsekaj spuroj sur liaj vangoj. "Ne mia kulpo?" Lia voĉo krakis. "Ne mia kulpo?"

Li alpaŝis al mi. "Mi planis esti kuracisto. Mi volis helpi homojn. Mi volis savi vivojn." Li gestis al la brusto, kaj frapetadis ĝin per sia fingro.

"Kion mi elektis fari? Trudi venenon, nur ĉar mi bezonis iujn groŝojn. Kiu scias, kiom da aliaj homoj mi mortigis?" Li sinkis al siaj genuoj, plorante.

Mi kapjesis al Morio. Li etendis sin, por tuŝi la ŝtonon sur mia kolĉeno. Ni alproksimiĝis al Lukas, kaj la fadenoj de fumo enfaldis niajn korpojn. Ni metis nian manon sur lian ŝultron.

Morio komencis paroli, "Lukas, mi ne kulpigas vin. Vi faris malbonajn elektojn, kaj mi faris malbonajn elektojn. Nenio, kion ni povus fari nun, ŝanĝus tion, kio okazis. Sed ĝuste nun, vi vivas! Vi havas elekton; vi daŭre povos helpi homojn."

Lukas tenis sian kapon en la manoj. Lia tuta korpo skuiĝis dum li ĝemploris. Sonis ne angoro; sonis senŝarĝiĝo. Liaj larmoj purigis lin.

Lukas etendis sian manon por manpremi nin. Morio delasis la ŝtonon, kaj ni komencis disfandiĝi.

Morio eksolidiĝis antaŭ mi, komence en la sama travidebla formo, kiel mi trovis lin en la buso. Malrapide, lia formo perdis klarecon, ĝis li estis for.

# Ĉapitro 10: Multe Pli Poste

(Chapter 10: Much Later, p. 115)

Mi movis ĉiun kristalon en mian dormoĉambron. Kiam mi finis tion, mi dormis du tagojn sinsekve.

La trian matenon, la sonado de mia telefono vekis min; probable televendisto. Mi etendis la manon por malŝalti ĝin. Anstataŭe, mi faligis unu el la kristalojn, kiuj kuŝis sur la apudlita tablo. La rebrilanta rozkolora prismo senmoviĝis; ĝi magie pendis en la aero. Ĉiu tono de mia telefona sonorilo plu sonis.

Mi sentis la liton sinki sub la pezo de aliulo; jen leĝera tuŝo sur mia ŝultro. Azrael.

"Vi dormis sufiĉe longe. Mi atendis, por paroli kun vi."

"Vi ĉiam povus telefoni." Mi rigardetis la telefonon, kiu daŭre sonoris.

"Sed tiel, mi ne povus vidi vin." Li ridetis. Temis pri malgranda rideto, kiu tuŝis nur la angulojn de lia buŝo, sed la sento montriĝis. Ankoraŭ homa afektaĵo. "Mi havas ion por montri al vi."

Mi prenis liajn manojn, kaj la mondo forvaporiĝis. Ni vojaĝis en kirliĝo de malhelo, akcentita per ekbriloj diverskoloraj, kaj sennombraj steloj. La mallumo perdiĝis en bluiĝo. La bluo malaperis en verdiĝo. Ni staris sur gazono antaŭ konstruaĵo: Resaniga Centro Morio Gilbert.

Aŭto alvenis al la antaŭo de la konstruaĵo. Tri homoj eliris; paro, kun adoleskanto. La pordo de la konstruaĵo malfermiĝis, kaj viro en blanka kitelo elvenis. Li estis alta kaj maldika, kun bukla, rufe bruna hararo.

Mi anhelis, kaj turnis min al Azrael. "Ĉu temas pri . . . ?"

Li kapjesis.

"Kie ni estas?"

"Ne kie, sed kiam. Temas pri poste. Multe poste." Li prenis mian mentonon en sia polmo, turnante mian vizaĝon al sia; la esprimo serioza. "Akila, vi devas kompreni; via laboro gravas. Ĉio, kion vi faras nun, prisemas la estonton. Foje, okupas iom longe, ke la semoj ekkresku.

Li fleksis siajn ŝultrojn, kaj liaj flugiloj aperis. Li paŝis pli proksimen al mi, kaj ĉirkaŭigis min per siaj flugiloj. La plumoj estis molaj kaj tiklis mian nazon. Li odoris je sunlumo.

Mi aŭdis sonoradon. Poste, nenion. Mi estis sur mia lito. Mi ekrigardis la telefonon; ĝi kuŝis flanke de la rozkolora kristalo sur mia apudlita tablo.

*English*

# The Day the Dead Man Followed Me Home

# Chapter 1: I See Dead People

(Ĉapitro 1:  Mi Vidas Mortintojn, p. 13)

I see dead people. Everyday. Everywhere I go. At the store. In the park. Walking down the street. It has become such a normal thing that I sometimes have trouble distinguishing between the dead and the living. Like today, on the bus.

There was an old man sleeping in the back, arms crossed, head down, his chest steadily rising and falling. In another row two teenagers sat next to each other, each one staring intently at their cell phone. They were traveling together as one would occasionally say something to the other. There was a younger woman reading a book and a middle-aged man with earbuds on nodding his head to a beat. I'm quite certain they were all alive.

But not the young man who sat across from one of the doors. He had short curly hair; maybe it was black, maybe it was brown. It was hard to tell because his color was off. His skin tone was muted. Like those pictures you see of people who have been near a fire or explosion, and everyone is so covered with ash that you can't tell the shade of their skin. He was staring intently at the floor, concentrating.

I suspected that he was a new ghost. He was trying to hold his form and be tangible enough that he could sit in the seat without drifting through the bottom of the bus. I've been told that takes a lot of effort in the beginning. It was fascinating to watch, but I made the mistake of looking at him for too long. He glanced up and we made eye contact.

His eyes widened. "You can see me?"

Caught. It would have been easy to pretend that I didn't see him. Close my eyes and never look back but that wasn't my nature. I couldn't control acknowledging his presence any more than I could control my next breath. I may be able to delay it, but, eventually, it would happen. So, I simply nodded.

With his concentration broken, he started sinking into the seat. He refocused his attention, stood up and walked—floated? maneuvered? —his way into the empty seat next to me.

He leaned in, eyebrows raised. "How can you see me? I've been wandering for a bit, no one has been able to see me."

I forced a smile. "It's a gift." And by "gift" I mean a curse that torments me every day and every night and disrupts every aspect of my existence so that I have never been able to live a normal life. But Grandma called it a gift, so that's the term I use. It makes me feel better.

He tilted his head to one side. "Do you know what's wrong with me? Why am I like this? I know

I'm dead but I expected to be somewhere else . . . you know, like, heaven. Why didn't I go to heaven?"

A chatty one. I held up my hand and shook my head to stop him from talking. I spoke in a very low tone, barely moving my lips, "I can't talk to you here. People will think I'm crazy. I'm getting off in a couple of stops, you can come with me."

"Really?" He asked with a wide grin. "Thank you . . . wait, what's your name?"

"Akila."

"Akila. Thank you, Akila. I'm Morio. Nice to meet you." He held out his hand for me to shake. A habit of the living.

# Chapter 2: The Death of Morio

(Ĉapitro 2: La Morto de Morio, p. 17)

My name is Akila and I am a clairvoyant—a spiritual medium. Morio was not the first ghost to visit my apartment. Over time I have learned to increase the spiritual energy in my home. It makes it easier for them to hold a tangible form. As soon as Morio passed through the door, his body became less translucent and his color brightened. He almost looked like a real person.

It was amusing to watch him study his hands and body as he walked around touching things. "How did you do that?" He asked in a soft, disbelieving voice.

"It's not me, it's the crystals." I pointed to the white, pink, blue, and green rocks scattered around the room. Some hung from chains; others sat in bowls. A few on the windowsill reflecting the sunlight.

"They create a lot of energy in this space, so you can touch things." I gestured to the sofa as I sat in the overstuffed chair. "And sit down without thinking about it."

He perched himself gingerly on the edge of the sofa, very still, waiting. Then he pushed himself back further onto the sofa and relaxed into it. "Ahhhh . . . ."

I was ready for answers. "How long have you been dead?"

He thought for a moment. "What's the date?"

"May fifteenth."

"May fifteenth already? How has it been that long?"

"What's the last thing you remember?"

"New Year's Eve. Hanging out with my girl and her friends." His voice softened, "I've been wandering on that bus for almost five months?"

"Time loses some of its meaning when you're dead," I explained. "How did you die?"

"I got hit by a bus." He paused, then added, "That didn't kill me immediately. I died a few days later in the hospital."

"Did you go to judgment?"

He frowned. "I don't know what that means."

"As I understand, it's a moment, soon after your death where you see your whole life in perspective. For some it's a flame in chest, for others it's a balancing of scales. It varies." I quickly added, "So I've been told. I've never been dead long enough to experience judgment first hand."

He shook his head. "I don't remember anything like that. There was darkness. Voices. Flashes of light. I was floating. And then I was on the bus . . . kind of .

. . I was trying to control this body to stay on the bus."
He said the word "body" with disdain.

It was a familiar story. I laid out his situation.
"You died. You did not go to judgment because
something pulled you back. *Someone* pulled you
back."

He raised an eyebrow. "Someone pulled me
back? Who?"

"Someone who was really impacted by your
death. Someone who is mourning so deeply, so
intensely that they can't move on with their life."

He shook his head. "I can't think of anyone who
would mourn me."

"Parents?"

"They're dead."

"Lover or spouse?"

"Girlfriend. I'm certain she moved on."

"Friends?"

"I didn't have many friends." He was quiet, contemplative. He picked up the crystal laying on the side table and started turning it over in his palm.

There was more he wanted to say. I stayed silent. Waiting.

He started again, slowly at first, then the words came tumbling out, "No one is mourning me because I was an asshole. There is no one out there who is sorry I'm dead. I got hit by a bus because I was high, out of my mind, and I stepped in front of it. My body wasn't physically strong enough to survive the trauma because I was on day four of a drug binge. The bus didn't kill me. I killed me."

And that's when I knew who had pulled him back. The bus driver.

# Chapter 3: In Search of the Bus Driver

(Ĉapitro 3: La Serĉo por la Busŝoforo, p. 23)

"I don't think the bus driver is mourning me."

I had pulled out my laptop and was researching details of the bus accident that killed Morio. He was standing behind me looking at the screen. He wasn't convinced of my bus driver angle.

"It was an accident," he said. "She couldn't have known I was going to step off that curb."

"Maybe not," I replied, "but imagine how she must have felt. She hit someone and they died. It's only human to carry some guilt. It would be natural to blame yourself and think you could have done something differently."

Twenty more minutes traversing the internet and we had the last known address of Kasandra Belmo, former bus driver for Metro City Transit. I cancelled my plans for the day. If Morio could give this woman some peace of mind, he would be out of the physical realm and on his way to judgment (and the afterlife) within the hour. Perhaps my fastest intervention ever.

Fortunately, Kasandra lived close enough that we could walk. It was a long walk, but still faster than waiting on the next bus. It was also easier for Morio to propel himself forward than try to contain himself in a bus seat. I put one earbud in so that I could appear to be talking on the phone. I don't like people staring at me.

As we started walking, I needed to set his expectations. "Think about what you want to say. You're only going to get one chance."

"How will she be able to see or hear me?"

"You'll use my body."

He stared at me with a mixed expression of doubt and disgust.

"Trust me. It will make sense. But you won't have time to ramble. So, your message needs to be short and to the point."

We found the house and knocked on the door. A woman answered. She was short, heavy set with straight blond hair and a lot of makeup. She resembled the pictures from the internet.

"Can I help you?" Her voice was raspy. Obviously, a long-time smoker.

"Hello. We're looking for Kasandra Belmo." I flashed my nicest smile.

"She doesn't live here anymore."

"Do you know where I can find her?"

"Who are you?"

I froze. I had been so busy prepping Morio that I hadn't prepared my own cover story. "I am a reporter and I—"

"We don't talk to reporters." The woman started to close the door.

"I have some new information about the accident." I blurted out. "It wasn't her fault."

The woman opened the door and stepped onto the porch with us. "*It wasn't her fault* is not new information. We've always known that. What new information could you possibly have?"

"I'd rather share that with her directly."

The woman let out an irritated sigh. Then she said, "You can probably find her at the restaurant a few blocks over. The Yellow Spoon. She started working there a few weeks ago."

"Thank you." We turned to leave.

As we were walking away, she called after us, "That accident destroyed my sister's life. It may not have been her fault. But after that junkie stepped out in front of her bus, they put her under a microscope and somehow found a way to fire her. That traffic cam saved her from jail but she hasn't been the same.

So, unless your new information includes a time machine that's gonna bring the old Kasi back . . . you're wasting your time."

# Chapter4: Kasi

(Ĉapitro 4: Kasi, p. 29)

"What did you mean when you said 'I've never been dead long enough to experience judgment.'"

I thought Morio was silent because he was thinking of what to say. Apparently, he was stuck on our earlier conversation. I don't talk about this with anyone. Grandma was the only one who understood. She got her final judgment a couple of years ago. Now there is no one who would understand.

"I've died. A few times," I answered flatly. "I stopped counting after six. I always come back."

He frowned. "How is that possible?"

I shrugged. "I don't know. A part of the gift, I suppose. I keep coming back and each time my clairvoyant powers are stronger. I can see and control more and more of the spiritual world."

We reached the restaurant before he could ask me anymore questions.

The restaurant was small. About ten tables scattered in no particular pattern. There were a few stools at the counter. There were no customers at the moment. One waitress was wiping off the counter and another was sweeping the floor.

I approached the counter. "Hi, I'm looking for Kasandra Belmo."

She nodded to the waitress who was sweeping.

She looked just like the woman from the house only slightly taller and slightly thinner. Her name tag said Kasi. She stopped sweeping and stared at me.

"Kasandra?"

"It's Kasi."

"Kasi. My name is Akila and I wanted to talk with you about the accident."

She looked me over from head to toe then shook her head. "I don't talk to reporters."

"I'm not a reporter."

"Then who are you?"

I've found in some situations, honesty is the best approach. Either she would believe me or not. I wasn't in the business of trying to convince people of who I was or what I could do. If they didn't accept it, the process wouldn't work anyway. "I'm a spiritual medium. I help the dead make contact with the living."

She froze and just looked at me.

I stared back, giving her space to process, hoping she could see the sincerity I was trying to project.

Her voice was just above a whisper, "He wants to talk with me?"

I nodded.

She called out to the woman at the counter, "I'm going to take a break. I'll be back in ten minutes." She walked out the door, I followed.

The parking lot behind the restaurant was empty.

She eyed me with skepticism. "You really can talk to the dead?"

"Yes. It's a gift of sorts."

She stood still. Thinking. Hesitant. There was a slow burn in her eyes, a battle waging within. Finally, she asked, "Well, what does he want to say?"

"I'll let him tell you."

On a chain around my neck I wore a stone that was a fusion of Moonstone and Onyx. Together the stones served as a conduit for spirits. I used to simply allow spirits to enter my body but the process was long, painful, and very personal. Our minds would fuse and I would feel all of their anguish and guilt.

The residual memories would last for days. Grandma knew a woman who could help me. I didn't ask who she was, I simply accepted her gift of the necklace, relieved to have an easier way.

I turned to Morio, pointing to the stone. "Hold the stone. Concentrate on its energy. Let it consume you."

As Morio touched the stone, his form began to fade away. A warmth started at my chest and radiated through my body. I could feel my consciousness being displaced. We were tethered, but it was no longer my body to control.

Kasi stared wide eyed as the stone began to glow and wisps of vapor swirled around the body Morio and I now shared.

"Kasi," we began, "I am sorry for everything you've been through. I don't expect you to forgive me, but I do want you to know, without question, it was not your fault; there was nothing you could have done. I was destructive and I am so very sorry that you got pulled into my wake. No one deserves what happened to you."

Kasi began weeping. We stood watching her, unsure what to do. *Hug her,* I urged. We reached out, we hugged her. She sobbed heavily on our shoulder.

"I've watched that traffic cam video a hundred times. Yet I still lay awake at night and wonder how could I not have seen him?" She pulled away, said thank you, and went back into the restaurant.

We started melting. The stone grew warmer and warmer. The vapors condensed and Morio was again before me in the same translucent form from the bus.

Something was wrong. He should have disappeared.

# Chapter 5: A Celestial Visitor

(Ĉapitro 5: Ĉiela Vizitanto, p. 35)

The next morning, I lay in bed confused. Nothing from the previous day made sense. I remembered the merging. The apology. The acceptance. We were one and then we weren't. We achieved our goal. He should have disappeared. But he didn't.

It wasn't the bus driver.

Morio was angry. He asked me so many questions and I did not have answers. I know how things *should* work. I know how things have *previously* worked. This was something new.

As we left the restaurant, he drifted away in the opposite direction. I could have pursued him or compel his return, but there was no point. I didn't know what else to do.

I got up to start my day. Helping Morio had put me behind in my real job as a social media manager for several small businesses. I sat at the kitchen counter, which often doubled as my office, writing for most of the morning.

I'm not the type to stop and have a proper meal. I fixed a simple lunch and continued working. When I stood to clear the lunch dishes from the counter, I bumped a glass. It began to fall then stopped, hanging, suspended in midair.

There was a light breeze and I could see my hair blow in slow motion. I felt every microsecond of my inhale and could hear my eyelashes strike one another as I blinked.

The world had stopped spinning. Time was frozen. I had a visitor. Azrael.

There was a light touch on my shoulder and I was drawn into his essence. My body was freed from its stasis and I turned to face the Designer's most beautiful creature and most trusted messenger.

The angel stood at least six and a half feet tall. His skin was the color of honey, his hair was jet black and cut close to the scalp. He had deep dark eyes with long eyelashes and perfect teeth, not that he ever smiled. His skin was flawless, his cheekbones prominent, his arms perfectly sculpted. Everything was masterfully chiseled from stone.

He wore a long white sleeveless tunic with white pants. Looking at him it was obvious this was the model the Designer intended for humans. Perfection untainted by sin.

The first time I met Azrael, I was speechless and in total awe. I accepted everything he told me without question. He was mesmerizing and his delivery was absolute. I was a believer.

That was ten years ago. Today his interruptions are no longer welcomed. Azrael always comes bearing a message and it is rarely good news. It is like when your boss calls to ask you to come work on your day off.  It is annoying and frustrating, but you can't say "no."

"What do you want?"

"You have to help him." His voice resonated within my core. I used to imagine that this is how babies feel when they are comforted by the voice of their parent. Smooth. Reassuring. Calmed.

I've grown immune to its effects.

"I tried to help him. It didn't work."

"The bus driver is not the one holding him here."

"Then who is?" I asked.

"I do not have that answer. You must look harder."

"Why?"

"His atonement is important."

"If he's so important, do it yourself."

"You know I cannot interfere."

"And yet here you are."

Azrael's eyes narrowed a bit, his head cocked to the side. A few human mannerisms have rubbed off on him over the centuries. "I cannot *directly* interfere."

"Interfere with what?"

"Morio is part of a bigger plan. You are part of a bigger plan."

"Ah, yes. One of the Designer's mysterious plans. Maybe I'm tired of being the Designer's pawn. Maybe I want to have a normal life and quit playing social secretary to the dead."

"I am sorry, Akila, but there's nothing normal about you."

For a brief moment I felt seen. Understood. As if he knew how hard it was to be me. After all, the whole purpose of his existence was to deliver messages for the Designer. His job in life was to sit back and watch the trainwreck that is humanity.

A long time ago—when I would close my eyes and pretend the ghosts weren't there—it was Azrael who helped me understand it all. He explained to me the sad plight of ghosts. Restless spirits who can't enter the spiritual realm because of excessive grieving of another. He helped me feel like I was doing important work for the Designer.

Just like most workers, I've grown weary of the job.

"Find him," Azrael commanded. He flexed his shoulders and large white wings emerged. He stepped away from me and I once again was in the time stream with the rest of the world. A drop of water floated between the faucet and sink. I blinked, a long moment of darkness, and by the time I opened my eyes again he was gone. The glass set on the counter.

# Chapter 6: The Demon's Den

(Ĉapitro 6: La Demonkaverno, p. 41)

The sign outside of the club said "The Demon's Den." It was a trendy nightclub where all the beautiful people would stand in line for hours to get inside. The music could be heard from a block away. I've never been inside. I'm not cool enough or pretty enough to make it past security.

Behind the glitz and glam of the human nightclub is a sanctuary for real demons. While ghosts are the spirits of dead humans, demons are low-ranked fallen angels. They have some power and are active members in the "cosmic battle of good and evil" (Azrael's words, not mine). As far as I could tell demons' only purpose was to make humanity miserable. What better tool for misery than a ghost who can't escape. So lost ghosts often become tools of demons.

I didn't waste time trying to get in through the front door. What I was looking for wouldn't be at the bar or on the dance floor. I walked around to the rear of the club. Just past the garbage cans was a single door with no sign and no handle. I knocked several times.

The door opened and a very large man stood in its frame. I use the word "man" loosely. To an ordinary human he looked like one of those goth types, dressed in all black, heavy black makeup and multiple piercings. I saw the disguise for what it was, a way to hide his dark energy and warped features.

As soon as he saw me a spark of fear shot through his essence. He recovered quickly, brazen as most demons are on the outside. "Are you lost?"

"I'm looking someone. A ghost named Morio."

"Not here."

"I know he's here; I can sense him."

"I don't think he wants to come out, and you"—he leaned in getting closer to my face—"are not welcomed here."

There are three realms: The Designer's Realm, The Underworld, and the Physical Plane. Every creature—spiritual, human, animal, cosmic, etc.—belongs in one of those realms. Being in the realm where you belong represents order. Being in a realm where you don't belong represents chaos.

Everything gravitates towards order, willingly or unwillingly. As a conduit between the realms, I have the ability—the power—to restore order. I generally don't think of my gift as a superpower, but sometimes that mindset is useful.

Demons are spiritual beings wreaking havoc in a place where they don't belong. Azrael taught me how to wield my gift.

I stepped forward and firmly said, "Bring him to me."

The Demon's nostrils flared and his chest began to rise and fall rapidly. He was grimacing in pain, his nature to inflict chaos fighting against my demand for order. His whole body was taut and his fists were curled.

I didn't move.

Finally, he exhaled roughly then called over his shoulder, "Tell the new guy he has a guest."

I nodded and stepped away from the door to wait.

Morio came out a few minutes later, surprised to see me. "How did you find me?"

"It's part of my gift." I threw a glance back at the club. "I see you've made new friends. I think you could do better."

He shrugged. "If I'm going to be stuck here for an eternity I guess I should meet some . . . people."

He stared hard at a bottle on the ground, then extended his foot to kick it. It moved. A little. "I need to figure out how to use this body better." He looked at me frowning. "Why are you here?"

"I had a visitor, an angel. He doesn't think Kasi is the one."

His eyes got wide. "An angel came to see you about me? Does that mean . . ."

I held my hand up. "Don't get your hopes up too high. Angels can be very vague."

"But angels are messengers, right? Straight from G—"

I shook my head. "Again, don't get your hopes up. The Designer is equally vague. It could mean anything."

"But you're here. So, it means something."

"It means, our work is not done. Let's go."

## Chapter 7: The Girlfriend
### (Ĉapitro 7:  La Koramikino, p. 47)

Two days later we were sitting in one of the courtyards of Midland Community College. I had finally convinced Morio that we needed to find his girlfriend, Zara. I believed him when he said their relationship wasn't that serious, but we didn't have any other leads.

"There she is." He pointed to a caramel-skinned woman with long braids exiting one of the buildings. "She looks happy," he said softly to himself.

She was walking with a man. They stopped, kissed briefly, then went their separate ways. She definitely was not mourning Morio.

"Zara Lewis?" I stopped her as she walked past me.

She looked me over from head to toe. "Who's asking?"

"My name is Akila. I'm a researcher doing a study about grief." This time I had my backstory ready. There was no point in telling her the truth. She was not the one holding him here.

Her body relaxed a little. "Um . . . Okay . . .What do you want with me?"

"You recently lost your boyfriend . . . Morio?" I started slowly.

"It's been a few months, but yeah, he died in a bus accident."

I looked back in the direction of the man she had just left. "You don't seem too devastated by it."

"I was sad initially, of course, but we weren't that serious." She bit her lip, studied her shoes and the cracks in the pavement. "If I'm being honest, he was a mess. And he made me messy."

"What do you mean?"

"We were always high. Drugs. Alcohol. Sex. Street Racing." She shook her head at the memories. "Always chasing a high. Being with him was a fast track to nowhere."

I could see Morio from the corner of my eye. His chin dropped to his chest.

"Ouch." That was supposed to be my inner voice.

"I know it sounds cruel," she grimaced, "but his death was a wake-up call for me. I got sober. Spent two months in rehab. And now I'm working on my degree."

"I told you I was an asshole," Morio whispered in my ear. "No one is mourning me." He walked away with his shoulders slumped.

I smiled and nodded at Zara, genuinely happy for her. "Death is never easy, but it seems you're doing well. A success story of sorts I suppose."

"Sorry I can't be of more help with your study." She turned to leave then stopped. "If you're looking for someone deeply impacted by grief, you may want to try my cousin."

She dug in her bag for a notepad and began writing. "He was devastated by Morio's accident." She handed me a piece of paper with the name Lukas Sanders. "You can probably find him near the big hardware store on the east side. He hangs out there looking for work sometimes."

As she walked away, I turned to ask Morio about Lukas, but he was gone.

# Chapter 8: The Search for Forgiveness

(Ĉapitro 8: La Serĉo por Pardono, p.51)

Morio stayed away for several days.

I could have sought him out and compelled him to return. I was eager to get to the bottom of this and send him on his eternal way. But he needed some time to process Zara's confession. It's one thing to think that you're toxic, it's another thing to hear someone describe how much better their life is now that you're dead.

Also, every day I spent running around with him was another day I was falling behind in my work. Those social media updates weren't going to post themselves. Ghosts have no sense of time and I believed that he would surface when he was ready to proceed.

So, I wasn't surprised to come home one afternoon to find him sitting in my living room, playing with my crystals.

"You're back." I set the bag I was carrying on the counter and began to unpack my groceries.

"I am."

"Where were you?"

"In the cemetery." The crystal he was holding went through his hand and fell to the floor.

I picked it up and put the crystal in a bowl on the other side of the room. "It matters where they go. Each crystal resonates at a specific frequency. Their arrangement is intentional."

"Oh sorry. I didn't realize that." He sat on the stool at the counter and watched me put away the rest of the food. "Did you know there are a ton of ghosts in the cemetery?"

"Yes, I did; that's why I avoid it. It is very overwhelming for me."

"What are they doing there?"

"Avoiding final judgment. Not going on to the afterlife."

"I don't understand. Why? Wandering around aimlessly must be awful."

I stopped and turned to face him. "Sometimes the person who needs to be forgiven is yourself. And some people can't do that. They would rather spend eternity wandering a field of rotting bones than face the truth about who they were or what they did."

"You think that's going to happen to me?" he asked.

I shrugged. "That's up to you. Can you forgive yourself?"

"Forgive myself?" he scoffed. "For ruining Kasi's life? For dragging Zara into the gutter? How do you propose I do that?"

I thought for a moment. I didn't have an answer. That would be his puzzle to solve. All I had was the hope that maybe he had another way out. "Do you know Lukas Sanders?"

He looked at me confused. "Yeah, that's Zara's cousin."

"I know that, but were you two friends?"

"We were cool, but we weren't friends." He realized where my questions were going. "And no, Lukas is not mourning me."

"Zara said he was 'deeply impacted' by your death." I used air quotes to accentuate my point.

"Really? I can't imagine why. I barely knew the guy. All he did was . . ." Morio's mouth fell open. He jumped off the stool and started pacing the room. "It's him. It has to be him."

# Chapter 9: Lukas Sanders

(Ĉapitro 9: Lukas Sanders, p. 55)

Bradford Hardware Store sat at the end of the business district on the east side of town. As you exit the hardware store parking lot on the south side there was a narrow street that ran under the highway. There were always people standing around the underpass. Most of them were looking for work. People who needed an extra hand pouring cement or installing a roof would come to this spot to pick up help. Everyday there was a different group of people waiting. Everyday there was a different group of people driving through. All jobs were paid in cash.

It was too long of a trip for the bus, so I drove. I passed the hardware store and turned towards the highway. As I slowed down at the corner Mario spotted Lukas right away. He was leaning against a telephone pole with his hands stuffed deep in his pockets.

I pulled alongside of the skinny man in sagging pants and a hoodie. He had a disheveled mass of curly reddish-brown hair and there was a cigarette dangling from his mouth.

I rolled down the window and called to him, "Lukas!"

He leaned over, peering inside of the car suspiciously.

"I'm a friend of Zara. Can we chat?"

He shrugged. I stopped the car and got out. As he approached my heart ached. He looked like someone that had been thoroughly beaten down by life. He was gaunt with dark circles under his eyes. His face was set in a scowl.

"A friend of Zara? I haven't talked to her in months. What do you want?"

I decided to take the straight forward route. "Actually, I am a friend of Morio." I didn't think it was possible but his face looked even sadder.

He clenched his teeth. "If you're a friend of Morio, then you know he's dead."

I've found in these situations honesty was always the best practice. Either they would believe me or not. "Only in body," I paused to gauge his reaction. He was a statue. "His spirit is here with us now and he wants to talk with you."

He started backing away. "Look lady, I don't know who you are, but this shit is not funny."

Perhaps he was the one.

I called out to him, "I know you sold him the drugs. And I know that you blame yourself for his death. He wants you to know it wasn't your fault."

He froze. Standing there shaking his head. When he turned to face me there were wet tracks on his cheek. "Not my fault?" His voice was cracking. "Not my fault?"

He walked towards me. "I was going to be a doctor. I wanted to help people. I wanted to save lives." He was pointing at his chest, jabbing himself repeatedly.

"What did I choose to do? Push poison 'cause I needed some extra cash. Who knows how many other people I've killed?" He sank to his knees, crying.

I nodded to Morio. He reached out to touch the stone on my necklace. We walked closer to Lukas and the wisps of smoke enveloped our bodies. We put our hand on his shoulder.

Morio began to speak, "Lukas, I don't blame you. You made bad choices and I made bad choices. There is nothing either of us can do to change what happened. But right now, you're alive! You have a choice; you can still help people."

Lukas's head was buried in his hands. His whole body shook as he sobbed. It wasn't sounds of anguish; it was sounds of release. His tears were cleansing.

Lukas reached up and squeezed our hand. Morio released the stone and we started melting. Morio coalesced before me, initially in the same translucent form that I found him on the bus. Slowly his form grew dimmer and dimmer until he was gone.

# Chapter 10: Much Later

(Ĉapitro 10: Multe Pli Poste, p. 61)

I moved all of the crystals into my bedroom. Then I slept for two days.

I woke up the third morning to the sound of my phone ringing, probably a telemarketer. I reached over to turn it off. Instead, I knocked over one of the crystals that was sitting on my nightstand. The shiny pink prism froze, magically suspended in the air. Every note of my ring tone dragged on.

I felt the bed sink under the weight of another and a light touch on my shoulder. Azrael.

"You have slept long enough. I have been waiting to talk with you."

"You could always call." I glanced over at the phone that was still ringing.

"Then I would not get to see you." He smiled. It was a small smile that only touched the corners of his mouth, but the sentiment was there. More human mannerisms. "I have something to show you."

I took his hands and the world faded away. We were traveling in a swirl of darkness accentuated by flashes of colors and countless stars. The black gave way to blue. The blue dissolved into green. We were standing on the grass in front of a building: The Morio Gilbert Treatment Center.

A car pulled up to the front of the building. Three people got out, a couple and a teenager. The door to the building opened and a man in a white lab coat came out. He was tall and thin with curly reddish-brown hair.

I gasped and turned to Azrael. "Is that . . . ?"

He nodded.

"Where are we?"

"Not where, but when. This is later. Much later."
He cupped my chin, tilting my face up to his; his
expression was somber. "Akila, you have to know, your
work matters. Everything you do today plants a seed
for tomorrow. Sometimes it takes a while for the seeds
to grow."

He flexed his shoulders and his wings emerged.
He took a step closer to me and wrapped his wings
around me. The feathers were soft and tickled my
nose. He smelled like sunshine.

I heard ringing. Then it stopped. I was on my
bed. I glanced over at the phone; it was sitting next to
the pink crystal on my night stand.

*Bonus: Excerpt from*

# Children of the Flood

## *(Infanoj de la inundo)*

An Esperanto Dual Language Novella

by Myrtis Smith

Esperanto Translation by Hans Eric Becklin

# Ĉapitro 1: La Instituto de Homa Plibonigo

(Chapter 1: The Institute of Human Enhancement, p. 125)

La ŝildo sur la antaŭo de la konstruaĵo tekstis: La Instituto de Homa Plibonigo. Ĝi estis senornama konstruaĵo de tri etaĝoj, kiu troviĝis tricent metrojn de la strato. Laŭ la longa vojo estis vico de arboj.

Mi paŝis en la akceptejon. Laŭ sia aspekto, ĝi estis kombinaĵo de alta teĥnologio kaj hejmeca komforto. Kolore, ĝi estis blua kun metalaj nuancoj. Estis plataj televidiloj, kiuj sur si montris videaĵojn de belaj homoj, kiuj ridetis, kuris, kaj ludis. Leginte tri reklamajn broŝurojn, mi ankoraŭ ne sciis, kio estas la Instituto de Homa Plibonigo, nek kiel ĝi povas helpi al mi.

La letero, kiun mi ricevis antaŭ tri semajnoj estis preskaŭ same ordinara kaj nerimarkinda kiel la konstruaĵo. Plejparte ĝi konsistis el la sama vaka propagando, kiun oni legis en la broŝuroj, sed la unua frazo kaptis min. Ĝi tekstis: "Ĉu vi spertas la benon, kiu estas longa kaj eksterordinare sana vivo? Se jes, kontaktu nin." Eble mi opiniis aferojn implicataj, kiuj ne vere ekzistis, sed ŝajnis al mi, ke ili scias mian sekreton. Se jes, eble ili ankaŭ havas respondojn pri ĝi.

Dekstre de la labortablo de la akceptisto, pordo malfermiĝis. Du homoj paŝis en la akceptejon.

Viro en blanka laboratoria kitelo paŝis al mi kun sia mano etendita al mi. "S-ro Johanson, mi estas d-ro Robert Zamora." Ni premis la manojn unu de la alia. Li turnis sin por prezenti la virinon, kiu staris apud li. "Jen mia asistanto, Miriam Vega."

D-ro Zamora aspektis kiel stereotipa sciencisto, kun okulvitroj, la blanka kitelo, kaj rektangulaj vizaĝtrajtoj. Li parolis rapide dum liaj okuloj iradis tien kaj reen por kapti ĉiun detalon. Miriam estis malsama. Ŝi estis pli mola. Ŝi ridetis premante mian manon. Ŝiaj manieroj estis varmaj kaj senstreĉaj. Estis iom da familiareco en ĝi, kio ŝajnis al mi netaŭga en tiu ĉi sterila loko.

Mi sekvis la paron laŭ longa, mallarĝa koridoro. Ni iris en ĉambron. Estis tablo, pluraj seĝoj, kaj kamerao muntita sur tripiedo. Sur la tablo estis kruĉo da akvo kaj kvar glasoj. D-ro Zamora proponis al mi la seĝon kontraŭ la kamerao. Li verŝis akvon kaj sidiĝis aliflanke de la tablo, transe de mi.

Miriam lokis sin malantaŭ la kamerao. Ŝi kapklinis al d-ro Zamora. "Ĉio estas en ordo miaflanke."

D-ro Zamora rigardis min. "Unue ni starigos multajn demandojn al vi. Ili okupos la grandan plimulton de la tago. Poste, ni observos vian dormadon. Morgaŭ ni iros en la laboratorion kaj testos vin rilate al kelkaj aferoj.

Mi respondis, "En ordo."

"Se vi pretas, ni komencos." Li kapklinis al Miriam. Ŝi premis butonon de la kamerao kaj ruĝa lumo komencis pulsi por montri, ke ĝi registras.

# Chapter 1: The Institute of Human Enhancement

(Ĉapitro 1: La Instituto de Homa Plibonigo, p. 121)

The sign on the front of the building said: The Institute of Human Enhancement. It was a plain brick three-story building that sat about 300 meters from the street. The long driveway was lined with trees.

I walked into the lobby. It was a combination of high tech and cozy. Shades of blue mixed with metals. There were flat screen TVs showing videos of beautiful people smiling, running, playing. I gave my name to the receptionist and sat down in one of the recliners. After reading three brochures I still had no idea what the Institute for Human Enhancement was or how they could help me.

The letter I received three weeks ago was almost as generic and non-descript as the building. Most of it was filled with the same empty propaganda as the brochures, but the opening sentence captured my interest. It read: "Have you been blessed with a long and remarkably healthy life? If so, we'd like to hear from you." Maybe I was reading too much into it, but they seemed to know my secret. If that was true, then maybe they had answers too.

A door to the right of the receptionist desk opened and two people walked into the lobby.

A man in a white lab coat walked toward me, hand extended. "Mr. Johanson, I'm Dr. Robert Zamora." We shook hands. He turned to introduce the woman next to him. "This is my assistant, Miriam Vega."

Dr. Zamora looked like a stereotypical scientist: glasses, white lab coat, sharp angular features. He spoke with a fast cadence as his eyes darted around, taking in every detail. Miriam was different; she was softer. She smiled as she shook my hand. Her manner was warm and relaxed. There was a hint of familiarity that felt out of place in this sterile facility.

I followed the pair down a long narrow hall. We entered a room. There was a table, several chairs, and a camera on a tripod. On the table was a pitcher of water and four glasses. Dr. Zamora offered me the chair opposite the camera. He poured a glass of water and sat at the table across from me.

Miriam took a place behind the camera. She nodded to Dr. Zamora. "Everything is ready here."

Dr. Zamora looked at me. "First, we're going to ask you a lot of questions. They will probably take up most of the day. We'll monitor you sleeping, then tomorrow we'll go into the lab and run a few tests."

I replied, "Okay."

"If you're ready, we'll start." He nodded to Miriam. She pressed a button on the camera and the red record light started blinking.

*Visit KylanVerdeBooks.com for this and more dual language books!*

# About the Author

Myrtis Smith estas usona esperantistino, instruisto tage kaj aspiranta artisto nokte. Ŝiaj ŝatokupoj inkluzivas verkadon, dancadon, kudradon, marŝadon kaj, kompreneble, Esperanton.

**http://www.KylanVerdeBooks.com**

Made in the USA
Coppell, TX
31 August 2023